倍速 講義
会社と経営の基本

監修

武藤泰明

早稲田大学教授

日本経済新聞出版

はじめに

　経営に関する知識は、組織の中で管理職など役職の高い人たちが必要とするものと思っている人は少なくないでしょう。しかし、一般社員であっても経営の知識は必要です。

　なぜなら、経営は狭義では会社のためのものですが、広義で考えると社会のためになるもの。つまり、社会に属するすべての人に関わる話なのです。

　本書は、会社と経営の基本的なことがすぐにわかるように、簡潔な文章と豊富なイラストでまとめました。会社を立ち上げることに興味がある人、これから働く人、すでに会社に勤めている人、経営を勉強してみたい人には特におすすめです。

　経営は会社の運営方法だけを知っていれば成り立つものではありません。会社を取り巻くすべての状況を知ることが大切です。本書が、経営を通して世の中を知るきっかけになれば幸いです。

武藤泰明

本書の見方

見開き完結でわかりやすい

会社と経営の基本が
瞬時にインプットできる！

タイパ抜群の超速読レイアウト

1 この見開きにおける主題・目指す意図が書かれています。

2 この見開きで学べる概要です。

3

4 概要をより深く 知るための **3** ステップ

5

6 この章の進捗度合を表示しています。

目で追うだけで理解できるタイパ最強の入門書です！

Contents

Chapter
3　企業組織の基本

Chapter
4　企業と人の基本

会社と経営の基本

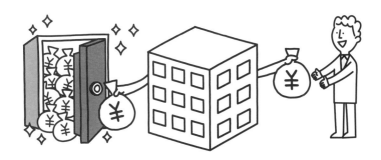

会社の種類や、構成される組織のことなど、ビジネスパーソンとして知っておきたい基本的な知識をご紹介します。

01 そもそも経営って何?

経営は大きく分けて
5つの要素がある

ステップ 1 ▶ ①情報と②戦略

B社の新商品が
大人気だぞ!

B社を超える
ものを作るぞ!

商品リサーチ
しました!

人気爆発中!

A社

情報

市場

情報

B社

市場の傾向や競争相手の
情報をしっかり集めるこ
とで、戦略の計画が練れ
て実行に移せます。

③組織と④人

戦略：商品をヒットさせるためにターゲットを変える

アイデア性

この方法なら
ターゲットに刺さる！

企画チーム

意欲

商品の売り込み
頑張ります！

営業チーム

専門性

予算のことなら
お任せあれ

経理チーム

戦略を実現するため、企業は最適な組織を形成し、
組織に最適な人材を労働者として雇います。

ステップ3 ⑤お金

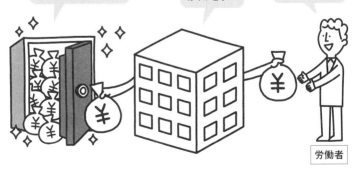

次の事業はこれだけの
コストで実行できるよ

働いてくれて
ありがとう

こちらこそ
お金ありがとう

労働者

人に働き続けてもらうためにも情報を集めて練った戦
略を実行するためにもお金は必要不可欠です。

資本と労働力が
必要

ステップ 1 ▶ 事業を行って付加価値を形成する

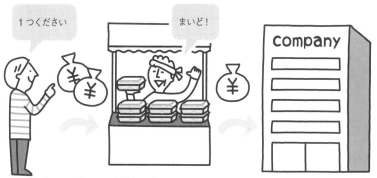

1つください

まいど！

company

売り上げから原材料などを引いた
金額を付加価値といいます。

ステップ2 ▶ 付加価値は資本家と労働者に分配される

付加価値は資本家と労働者に分配されます。分配をめぐって
双方が不信感を持たないよう気を配る必要があります。

ステップ3 ▶ 会社には共同体としての側面がある

分配に不満があったとしても労働者、資本家ともに会社を存続させたい気持ちは一緒です。

03 会社には4種類の形態がある

会社は株式会社
だけではない

▶ **株式会社、合同会社、合資会社、合名会社**

出資者である株主
と経営者がいます

出資者が所有している
持分会社です

会社はこの4種類
に分かれています

| 株式会社 | 合同会社 | 合資会社 | 合名会社 |

ステップ 2 ▶ **責任の範囲は有限責任と無限責任に分かれる**

この4つの違いは何？

簡単にいうと責任の取り方が違います

有限責任と無限責任は、責任の範囲が異なります。

〈有限責任※〉	〈無限責任※〉
会社が倒産	会社が倒産
出資者の損失は出資額のみ	出資者の損失は会社の負債分

株式会社　合同会社　合資会社　合名会社

私たちは有限責任です

有限責任と無限責任の組み合わせです

私は無限責任です

ステップ 3 ▶ **4つあるけど主流は株式会社**

ローリスクだから出資しよう

経営に専念できる！

なるほど！ 出資者を募りやすいんだ！

出資者

経営者

株式会社

有限責任で、出資者と経営者が別々の株式会社が主流となっています

株式会社は、リスクの低さから出資者を募りやすく、4種類の中で一番成長に適しています。

※のついた用語は巻末に解説があります。

証券取引所に
自社の株を登録

ステップ1 ▶ 取引市場の種類

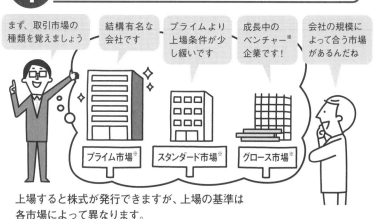

まず、取引市場の種類を覚えましょう

結構有名な会社です

プライムより上場条件が少し緩いです

成長中のベンチャー※企業です!

会社の規模によって合う市場があるんだね

プライム市場※　スタンダード市場※　グロース市場※

上場すると株式が発行できますが、上場の基準は
各市場によって異なります。

ステップ2 ▶ 一定の審査を通らないと上場できない

市場ごとに基準値は異なりますが、上場するには条件のすべ
ての項目をクリアしなければいけません。

ステップ3 ▶ 上場のメリット・デメリット

上場することで会社の株式は誰でも買えるよう
になるため、買収のリスクも高まります。

05 連結決算で業績を公表する

グループ全体と
しての業績を示す

ステップ1 ▶ グループ全体を1つの会社としてみなす

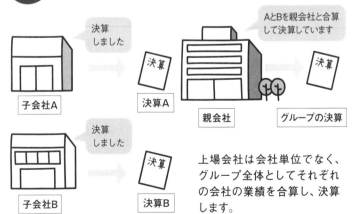

決算
しました

子会社A

決算A

決算
しました

子会社B

決算B

AとBを親会社と合算
して決算しています

親会社

グループの決算

上場会社は会社単位でなく、グループ全体としてそれぞれの会社の業績を合算し、決算します。

ステップ 2 ▶ 子会社が収益源として重要

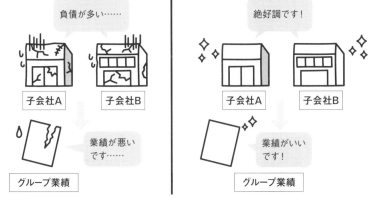

負債が多い……

子会社A　子会社B

業績が悪い
です……

グループ業績

絶好調です！

子会社A　子会社B

業績がいい
です！

グループ業績

連結する子会社の業績次第でグループの業績が変化します。

ステップ 3 ▶ 単独決算※だと利益や損失を操作できる

Aグループ

決算しました

こちらも
決算しました

業績が良く見えるよう
に工作しちゃお

決算
業績UP工作

Aグループ社長

業績のいい
子会社

業績の悪い
親会社

企業ごとに決算をするので、単独決算だ
と親会社の都合がいいように業績を操作
することができてしまいます。

06 取締役と執行役員ってどんな役割がある?

2min

取締役会の決定に基づいて事業運営をするのが執行役員

ステップ 1 ▶ 経営の意思決定と執行を分ける

会社の経営方針を決めます

取締役会の決定に基づいて業務を行います

・会社法で定められた役職

・株式会社では1名以上

取締役

執行役員

・事業運営の責任者

・会社法では定められていない

経営の意思決定者と事業運営の責任者を分けることで経営の透明性が上がります。

ステップ2 ▶ 日本では兼務する人も多い

その理由は2つ
あります

社員level.1

一般社員から取締役
になったぞ！

取締役

あなたの監視
は私の役目

監査役

出世の過程に取締役があり、かつ監査役[※]により経営が監視されるので、取締役が事業運営の責任も負うことが一般的です。

ステップ3 ▶ 米国ではCEO[※]以外は社外取締役

日本

経営をしっかり
監視します

監査役

助かります

CEO

米国

経営の運営に
手が回らない

CEO

僕ならフラット
に見れるよ

社外取締役

米国には監査役制度がなく、重要な権限をCEOが持っているため、俯瞰して監視する社外取締役が必要です。

会社の経営者と
利害関係のない
人材が会社を監視

 ステップ1 ▶ 内部昇進の人は会長や社長に意見しづらい

社長と取締役は
こういう位置関係
になります

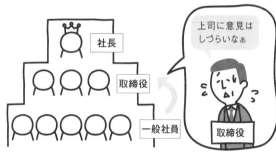

内部昇進だと、社長や会長は同じ会社の上司という立場になるため、意見を言いづらくなることがあります。

ステップ2 ▶ 上場会社では 2 名以上が実質必置

上場会社は法律によって社外取締役を2名以上置くことが義務付けられました。

社外取締役
2名以上

上場会社には
こんなルール
があります

ステップ3 ▶ 事業についての知見はなくてもいい

社外取締役は3つのタイプに分かれます

経営の目線で企業活動をチェックします

経営者

投資家として実務面から経営を支援します

投資家

企業活動の社会性をチェックします

名士

社外取締役には特定の分野のプロが選ばれます。事業について詳しくなければいけないことはありません。

事業内容に詳しくなくても大丈夫なんだね

08 高い注目を浴びている パーパス経営

会社が存在している
意味を考える

ステップ 1 ▶ 従来の経営モデルとの違い

従来の経営モデル

何を目指す？

どうやって
目指す？

何をする？

パーパス経営※

なぜ存在する？

パーパス経営では、経営のビジョン
や目標を考えるのとともに、会社の
存在意義を考えます。

いかに社会に貢献できるか

物理的豊かさ

精神的豊かさ

値段設定高めにして儲かった!

消費者ファーストの売り方に!

これからもリピートしよう!

高くてもう買えない……

消費者

消費者

パーパス経営では、儲けなどの金銭的な豊かさとともに精神的な豊かさを重視し、社会貢献を目指します。

 利益を重視しないわけではない

いつも繁盛しているカフェ

いつも美味しくて居心地がいい!

廃棄が少ない

接客◎

消費者

売上

美味しさを維持

パーパス経営は利益を考えないわけではありません。社会貢献を考えた行動の結果に利益がついてきます。

09 ステイクホルダー資本主義を理解する

2 min

社会貢献が
必要という考え方

ステップ 1 ▶ ステイクホルダー※って何?

私たちが
ステイクホルダーです

Stake
(掛金)

Holder
(保有)

株主	社員	地域社会
		地球環境

この2つが
由来!

企業の経営において、直接的、間接的に影響を受ける利害関係者のことをステイクホルダーといいます。

ステップ 2 ▶ ステイクホルダーに貢献する

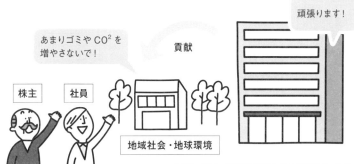

企業に関わる利害関係者の要望のバランスをとりながら、企業活動を通して彼らに貢献します。

ステップ 3 ▶ ステイクホルダー資本主義のメリット

企業活動が社会問題の解決に貢献したり、企業に勤める社員の働きやすさが実現しやすくなります。

10 コーポレート・ガバナンスって何?

企業の経営を
監視する仕組み

ステップ
1 ▶ 企業が誰のために存在しているのかを考える

コーポレート・ガバナンス※は経営を監視する概念です

利益を自分のものにしちゃおう

不正禁止!

自分本位の経営を取り締まれるんだね

経営者

監視役

企業は経営者のためだけに存在しているわけではないので、適切な経営が行われているかを監視します。

ステップ 2 ▶ 狭義のガバナンスと広義のガバナンス

狭義

監視のおかげで
働きやすい

監視

 経営者

 株主

社員

取引先

地域社会

広義

経営者の経営方法を監視することで、企業を取り巻くステイクホルダーに害が及ぶことを予防することができます。

ステップ 3 ▶ 日米企業のコーポレート・ガバナンスの違い

日本

何かあったら
助けるからね

取引先

 企業

 株主

良好な
関係

 社員

米国

何かあっても僕には
関係ないよ～

投資

 企業

 株主

コスト

 社員

米国のコーポレート・ガバナンスでは株主の利益が最優先されるため、経営の良し悪しは株価などで判断されます。

11 近年話題のNPOと NGOってどんな組織?

NPO※は非営利組織、
NGO※は非政府組織

ステップ1 ▶ NPOは非営利の民間組織の一般呼称

非営利

そもそも非営利って
どういうこと?

代金を払い
ます

こういう組織の一般
呼称がNPOです

全部事業に
使います

NPO

利益を求めないのではなく、利
益を投資家に分配しない組織を
指します。

ステップ 2 ▶ 国際的な側面がある NGO

地球規模の問題に
取り組みます

・国益に
　拘束されない
・国境を越えて
　活動する

NGO

NGOは非営利組織
でもあります

国際的な社会問題に取り組んでいますが、主体が政府以外の民間組織のため、非政府組織と呼ばれています。

ステップ 3 ▶ 近年は会社より非営利組織が増えている

ボランティア
活動が増えて
きています

報酬はいら
ない！

やるべきだと思った
からやる！

NPO

組織化

このほか低開発国で増えている病院や
学校も非営利です。

投資家に対する
PR活動をIR[※]という

ステップ1 ▶ IR[※]の対象は投資家だけではない

IR!!

弊社の財務状況
です!
お願いします!

IRの対象

ふむ

拝見します

投資家

金融機関

証券会社

企業は投資家だけでなく、資本
市場関係者を対象に投資判断に
必要な情報を提供します。

ステップ 2 ▶ 格付けと株価

格付けでは企業の安全性を見て、株価では
企業の成長性を見ます。

株価はわかるけど
格付けって？

会社の
信用度です

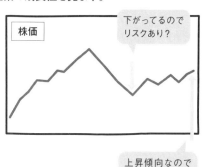

株価

下がってるので
リスクあり？

上昇傾向なので
成長性◎？

ステップ 3 ▶ 投資家の判断基準を理解する

IR活動で示す内容に整合性が取れていないと、経営計画
の信ぴょう性が低くなり株価が下がることがあります。

弊社は成長
見込みあり
ます！

経営計画

成長率

99.9%

ここの株は
やめておこう

投資家

経営のはじまり

経営は、今から約4000年以上前の古代エジプトでも交易という形で行われていました。古代というと、自給自足のイメージが強いかと思いますが農業生産などはアジアから買う香料の代金となっていました。

現代	古代
事業を運営する	農業生産(事業)を運営する
↓	↓
事業で得たお金を関係者に分配	農業生産で売れるものを作る
↓	↓
余ったお金で再び事業運営	国際交易でアジアから香料を買う

経営戦略の基本

経営を滞りなく進めていくためには計画が必要
不可欠です。本章では、基本的な経営戦略の
種類と内容を解説します。

01 経営戦略を構成する要素

成長戦略と競争戦略
に分けられる

▶ 成長戦略と競争戦略

経営戦略を立案する場合、次の2つが策定されます

| 成長戦略 | マクロ的な視点で事業対象の市場を規定し、どう拡大させるかを策定。 |

| 競争戦略 | 成長戦略の達成を目標に、競合他社と戦っていくための行動プラン。 |

まずは、組織が発展するための成長戦略が重要。それを元に競争戦略を練っていきます。

ステップ 2 ▶ 成長戦略

成長戦略はこんな
ことを考えます！

スーパーだけじゃな
くてドラッグストア
にも出荷しよう

お酒だけじゃなくて
ソフトドリンクを作
ります！

普段調味料作っているけど
冷凍食品出してみよう

市場の拡大を目指し、販売チャネルを拡大したり、
新製品を作ったり新事業を始めたりします。

ステップ 3 ▶ 競争戦略

| 米国型競争戦略 | 日本型競争戦略 |

あの競争相手
に勝てるように
しよう！

競争相手が多い
から自社の能力
を強化しよう！

自社

自社

国によって競争環境が異なるので、環境に合わせて自
社が戦える戦略を考えます。

02 事業に必要な経営資源

経営資源は
「人、モノ、金」
だけではない

ステップ 1 ▶ 経営資源は多く蓄積するべきものだった

従来の代表的な
経営資源を確認！

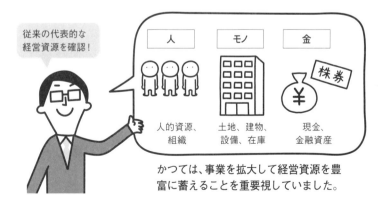

人	モノ	金
人的資源、組織	土地、建物、設備、在庫	現金、金融資産

かつては、事業を拡大して経営資源を豊富に蓄えることを重要視していました。

ステップ 2 ▶ 経営資源の蓄積にはリスクが伴う

企業を取り巻く環境の変化から、経営資源を蓄積する負の面が出現しました。

リスク回避のために……

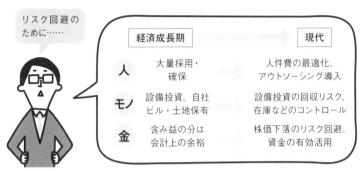

	経済成長期 → 現代	
人	大量採用・確保	人件費の最適化、アウトソーシング導入
モノ	設備投資、自社ビル・土地保有	設備投資の回収リスク、在庫などのコントロール
金	含み益の分は会計上の余裕	株価下落のリスク回避、資金の有効活用

ステップ 3 ▶ 「人、モノ、金」以外の経営資源

「人、モノ、金」以外の経営資源の重要性が増しています

<知的財産>   <その他>

データ	産業財産権	ソフトウェア	実績	ブランド

顧客情報、市場データなど　特許、商標、意匠など　情報システム、Webサイト、アプリなど　従来の成果、信用など　事業の伝統、企業文化など

03 ビジネスモデルは戦略とどう違う？

2 min

> ビジネスモデルは
> 戦略を実現する
> 具体的な方法

ステップ 1 ▶ **ウォルマートのビジネスモデルと戦略**

ビジネスモデル

いつも低価格で売る！
特売はしません！

仕入れ

消費者

戦略

競争のない郊外に
店をかまえよう！

ウォルマートは、「出店戦略」と「特売しないビジネスモデル」で大成功しました。

ステップ 2 ▶ **Amazonのビジネスモデルと戦略**

ビジネスモデル

戦略

有料会員制でお客様の満足度を高めるビジネスモデルです。

AmazonのEC事業は、データセンター事業を収益源とし、事業やマーケティングの先鋭的な実験を続けています。

ステップ 3 ▶ **ビジネスモデルは5つの要素から考える**

ビジネスモデルは、企業が収益を上げ、価値を高めて存続するためのさまざまな要素・仕組みと定義されます。

5つの要素はこちら！

①誰に提供するか

②何を提供するか

③経営資源をどう活用するか

④どのように差別化するか

⑤どうやって収益を上げるか

競争がなければ
利益が増える

ステップ1 ▶ **シルク・ドゥ・ソレイユとサーカスの違い**

サーカス

人気の
パフォーマーは
出ません！

人気の
パフォーマーは
出演料が高い！

維持費が高くて
愛護団体も怖い！

シルク・ドゥ・ソレイユ

動物のショーも
やりません！

大人が楽しめる
ショー！

サーカスは競合も多く、稼ぎにならない団体も
多くありましたが、シルク・ドゥ・ソレイユは
サーカスとの差別化を図り成功しました。

ステップ 2 ▶ ブルー・オーシャンをつくる4つのアクション

シルク・ドゥ・ソレイユの例で見ていこう

①取り除く　　②増やす　　③付け加える　　④減らす

動物をショーに出さず、大人向けにしたことでチケット代を値上げし、パフォーマンス性を向上させ、リスクを減らしました。

ステップ 3 ▶ ブルー・オーシャンはビジネスモデルを変える

ブルー・オーシャン戦略の成功は、ビジネスモデルの革新が実現できたことを意味しています。

この市場は敵が多い！ブルー・オーシャンを探そう

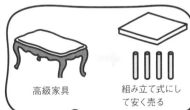

高級家具　　組み立て式にして安く売る

ビジネスモデルを変えることも視野に入れましょう

顧客の満足度を最大にするCS戦略

決められたコストの
範囲で顧客を
満足させる

ステップ
1 ▶ 企業と製品は顧客に選ばれる

まずCS※って
何?

顧客満足の
ことだよ

??

美味しそう

美味しい!

また買おう

選ばれる

顧客満足

選ばれる

競合他社より自社の製品・サービスが選ばれ
るには、CSを向上させることが重要です。

ステップ 2 ▶ 選んでくれる顧客を企業が選ぶ

会社ミーティング

どんな人がこの商品を買ってくれるかな?

・若い人
・女性
・ダイエット

コンセプト的にこんな人かな

「あらゆるお客様に満足してもらおう」と、すべての顧客の要望に応えるのではなく、ターゲットとする顧客を選定します。

ステップ 3 ▶ CSは競争戦略に不可欠

他社との差別化・新規層の獲得が大切

他社	自社
・高い ・アレンジレシピなし	・少し安い ・アレンジレシピあり

アレンジレシピ美味しそう!安いし買ってみよう

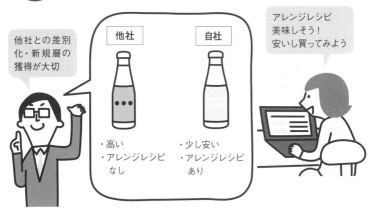

他社との競争を勝ち抜くためには、他社との差別化はもちろん、新規層を獲得するための宣伝や興味を惹く方法などを考える必要があります。

企業にとっても
原動力となる

ステップ 1 ▶ **イノベーション※は新しくなくていい**

新技術

回転寿司

イノベーションって
こんなイメージ

別に新しくなくても
いいんですよ

回転寿司は、板前さんの技能とベルトコンベアという技術が結合して生まれたイノベーションです。

ステップ 2 ▶ 意外にゆっくり進行する

イノベーションは
時間をかけて進
行します

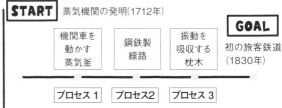

START 蒸気機関の発明(1712年)

GOAL

初の旅客鉄道
(1830年)

機関車を動かす蒸気釜	鋼鉄製線路	振動を吸収する枕木
プロセス1	プロセス2	プロセス3

蒸気機関のほかに機関車、線路、枕木というイノベーションが揃って人を乗せるSLが登場します。実現にかかった時間は118年です。

ステップ 3 ▶ 個人がイノベーションを起こす時代

20世紀

昨今

イノベーション
資金準備万端!

私のアイデアで
イノベーションを!

大手企業

かつて、イノベーションには多額の資金と巨大な組織が必要でしたが、現在は個人のアイデアを事業化する仕組みがイノベーションを支えています。

07 経営資源の質を落とさず 拡充できるM&A

経営資源の拡充の
時間を一気に短縮

▶ 買収も立派な経営戦略

買収され
ちゃう!

買収ってマイナスな
イメージが……

買収も立派な
経営戦略です

買収する側もされる側も買
収によって得られるメリッ
ト・デメリットを考え経営
に生かせる選択をします。

ステップ2 ▶ 水平型と垂直型

水平型　　　　　　　　　　　　垂直型

生産が追い
つかない！　　生産量が増えて
コスト改善！　　生産機能を
強化したい！　　うちは生産
強いです

買収　　　　　　　　　　　　　買収

会社A　　　会社B　　　会社A　　　会社C

水平型は同種の経営資源を持つ企業を買収し、量的拡大を目指し、
垂直型は足りない機能を補うための買収です。

ステップ3 ▶ M&A後の統合プロセス（PMI※）が重要

M&A※で起こり得ること

不満があって
やる気がでない　　合併直後で
社内はパニック！　　こうならないように
統合効果の最大化
を図ります

社員

関わったすべての人が合併してよかったと思える
ようにするためにもPMIは必要な仕組みです。

08 長期的な成長を目指すESG

環境・社会・
ガバナンスの
3つを重視する

ステップ 1 ▶ 環境(Environment)

この事業進めたいけど
環境問題が心配だ

環境問題

会社

環境問題をカバー
する方法を考えよう!

リサイクルや温室効果ガスの削減など、事業を行
ううえで環境へ配慮した取り組みを行います。

ステップ 2 ▶ 社会 (Social)

もう帰って
いいよ！

ありがとう
ございます！

どんな人でも働ける！

労働基準の遵守や人権問題など、取引先を含めた改善をしていきます。

ステップ 3 ▶ ガバナンス (Governance)

もっと女性を幹部
に登用すべき！

男女平等

不正を防ぐ管理
体制を整える！

ESGに取り組まない
企業は、資金調達が
難しくなっています。

持続可能な
開発目標を達成
しながら経営する

ステップ 1
▶ **SDGs※経営は今後必要不可欠になる**

SDGs

世界中で目標と
されている！

SDGsに
取り組んでいる
企業は信頼できる！

投資家

SDGsは世界共通の達成目標なので、SDGsを
考慮しているのとしていないのでは投資家か
らの評価が変わります。

ステップ **2** ▶ **17項目すべてを推進する必要はない**

省エネ設計の
家を作ろう！

17個もあったら
大変だね

事業内容に合うもの
だけで大丈夫です

SDGsの目標17個をすべて推進するのではなく、取り組む事業内容に合った目標を積極的に推進します。

 ステップ **3** ▶ **企業理念や経営方針とSDGsを一致させる**

企業理念：人とのつながり、地域社会を大切に

これがうちの
企業理念です

働きがい

まちづくり　　ジェンダー平等

人や地域を大切にする理念を掲げている企業なら、SDGsも
人や地域に焦点が充てられたものを推進します。

危機的状況でも
重要な業務を
遂行する

ステップ1 ▶ 危機的状況の定義

 テロ　自然災害　システム障害

危機的状況って
お金がないとか？

もっと深刻です

企業の大切な経営資源が被害に遭い、企業活動が
制限されてしまった場合を危機的状況とします。

ステップ 2 ▶ 守りたい業務と水準

自然災害時

経営資源不足

使える資源

大雨で社員と連絡取れないしシステムも不安定だ！

重要業務

どの業務が止まったら危機的かを考えます

危機的状況時、限られた経営資源の中でどのレベルで業務を遂行するのか、どの業務を遂行するのかをBCP※で明確に定めます。

ステップ 3 ▶ 複数の会社が連携することも

災害時

みなさん大丈夫ですか!?

サプライチェーン※を可視化

連携　　連携
被災

会社A　　会社B

会社C

消費者

いざというとき、どうするのかを取引先と一緒に検討しておきます。

Column ②

世界ではじめて設立された会社

世界初の株式会社が「オランダ東インド会社」であることは有名です。株式会社制度のはじまりはここからでしたが、それ以前にも会社という形態は英国で採用されていました。

16世紀	設立された「新しい土地への冒険商人会社」は、この先で設立される交易のための会社の母体となる。
1555年	北極海航路で交易を行うために設立された「モスクワ会社」。イギリスではじめて、国の許可のもと設立された会社で、モスクワとの交易を独占した。
1592年	現在のイスラエルあたりを支配していたオスマン帝国との交易を行うために設立された「レヴァント会社」。この会社に出資した商人たちは後にできる「イギリス東インド会社」でも大口の出資者となる。
1600年	アジア貿易を目的に「イギリス東インド会社」が設立される。この名前は単一の会社名ではなく、3つほどの会社の総称。主にアジアの植民地経営や交易を行った。

企業組織の基本

企業に属する組織の役割や種類は、会社員と
して理解しておきたいもの。本章では、基本
的な組織と役割・目的をご紹介します。

01 機能別組織って何？

企業の基本的な
形態

ステップ 1 ▶ 個々の専門性が高い

生産のことなら
誰にも負けない
ぞ！

営業　　　　　生産　　　　　経理

専門的な知識を身につけることができるため、特定の分
野に強い人材が揃い、生産性も向上します。

ステップ 2 ▶ 会社全体を見渡す人がいないのが弱点

社内

いいものを
作るぞ！

経理処理なら
お任せ！

営業に行って
きます

社員それぞれが自分の仕事に集中するため、全体のことを考えて仕事をする人が少なくなるのが弱点です。

ステップ 3 ▶ 人材育成面でも穴がある

昇進したい
な〜

会社のこと、
よくわからない……

役員

入社

会社全体のことを考える管理職の人材を育成することが難しいという欠点があります。

事業の中に企業を作る 事業部制組織

事業ごとに権限と
責任を持つ

ステップ 1 ▶ **機能別組織には限界がある**

新しい事業を
はじめます！

いまのままじゃ
対応できない！

どうしたらいい
んだ……

機能別組織では、多角化＝
組織形態の複雑化を意味
します。いずれ対応が難し
くなってしまうのです。

ステップ 2 ▶ 事業ごとに機能別組織を作る

| 国内事業部 | 海外事業部 |

いいものを
つくるぞ!

海外のスタイルに
合わせよう

製品やサービス、エリア、顧客の属性などで事業が分けられ、それぞれ
に権限と責任が与えられます。

ステップ 3 ▶ 事業部制組織のメリット・デメリット

| ◎意思決定が スムーズ | ×長期視点が 生まれにくい |

こんなのはどう
ですか?

いいですね!

ちゃんと売上目標
達成しないと!

ほかの部署に
負けちゃう!

柔軟な意思決定ができる一方、短期目標の達成に目がいってしまいがちです。

03 社内カンパニー制は「社内分社」

事業部門の権限と
責任をさらに強化

ステップ 1 ▶ 事業部制との違いは「会計上の独立」

事業部制

お金の最終決定
権は本社です

カンパニー制

資本金

借入金※

お金の管理も
しっかりやり
ます

事業部ごとに動くのは共通点ですが、会計上の最終
的な決定権を持っているかどうかが違いです。

ステップ 2 ▶ BS（バランスシート）を持つ

企業の財政状況を知ることができるバランスシート。カンパニー制ではカンパニーごとに作成します。

ステップ 3 ▶ 純利益も成果指標になる

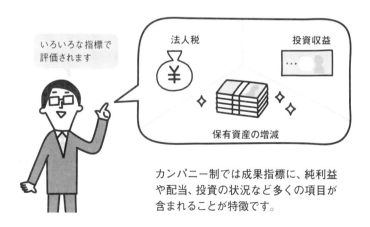

カンパニー制では成果指標に、純利益や配当、投資の状況など多くの項目が含まれることが特徴です。

純粋持株会社は
自社で事業を
行わない

ステップ 1 ▶ 仕事は株式への投資と保有

株主になるし、事業活動のお金も出すよ

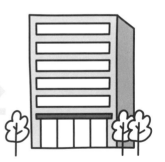

株式

持株会社は、他社の株式を購入し、他社を支配することを目的とします。

ステップ 2 ▶ 経営と事業が分かれる

純粋持株会社は自ら事業は行いません。株式を保有している会社の活動方針を決定します。

ステップ 3 ▶ M&Aがやりやすくなる

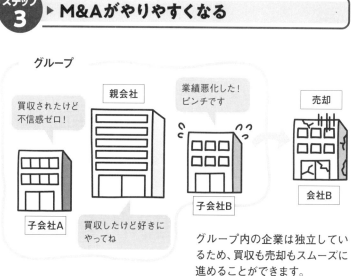

グループ内の企業は独立しているため、買収も売却もスムーズに進めることができます。

05 企業系列は日本独自の企業グループ形態

親会社が子会社を
支配する仕組みとは
異なる

ステップ1 ▶ 世界でも稀な「支配によらない企業グループ」

親会社が子会社を支配するというよりも、独立した企業が互いに協力し合う関係にあるのが企業系列で、日本独自の形態です。

ステップ 2 ▶ 協力パターン① 垂直系列

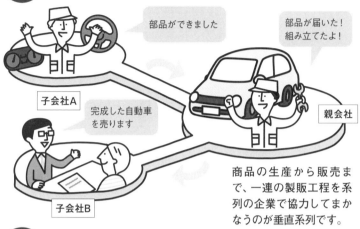

部品ができました

部品が届いた！組み立てたよ！

子会社A

完成した自動車を売ります

親会社

子会社B

商品の生産から販売まで、一連の製販工程を系列の企業で協力してまかなうのが垂直系列です。

ステップ 3 ▶ 協力パターン② 水平系列

BANK

A商社

Aメーカー

お互い取引はせずとも一体となって頑張ろう

グループ内での取引はさほどありませんが、各企業が協力して事業を推し進めています。

協力して前に進みましょう

Column ③

産業革命期の英国に
株式会社は存在しなかった？

産業革命といえば、蒸気機関や紡績機などの偉大な発明が浮かびます。しかし、かつては動きが活発だった株式会社は、産業革命のどの文献を読んでも登場しません。一体なぜなのでしょうか？

現代の会社

カンパニーと呼ばれ、複数の人たちが資金を持ちよりリスクをとって事業をする。

イギリス東インド会社

ジョイント・ストック・カンパニーと呼ばれ複数の人たちが出資しあって成り立つ。

株式会社禁止！

イギリス政府

当時のイギリスでは会社＝複数人で共同してリスクをとり、儲けを大きくしていくというものでした。産業革命時でも家族経営などは存在しましたが、会社がそれよりも大きくなることはなかったのです。また、株式会社は政府から禁止されていました。

Chapter

4

企業と人の基本

企業にとって人は重要な経営資源に値します。
経営者は、企業に関わる人をどのように生かす
べきかを学びます。

01 企業価値を高めるための人的資本経営

人材を「資本」
として扱う

ステップ1 ▶ 従来の経営との違い

社の方針どおりに働いてくれたら安定した雇用を保証しよう

ともに持続的に価値を高められる関係でいましょう

従来の経営

人材は組織が管理する「コスト」。組織と人材の相互依存性の高さが特徴。

人的資本経営

人材は価値を創造するための「資源」。組織と人材の自律した関係性が特徴。

企業が人材の価値を引き出す人的資本経営のもと、人材の側も専門性を高めて企業を選ぶ立場にあります。

ステップ 2 ▶ 人材、働き方が多様な時代になった

 正規雇用※ 非正規雇用※

人的資本経営が注目されるようになった背景には、人材構造や働き方の多様化があります。

今は非正規雇用の割合もかなり増えているよね

うちでも外国人従業員が珍しくなくなってきたし

ステップ 3 ▶ 形のない資本の価値が上がっている

個人のスキルや経験も企業にとっては大事な資本なんだ

有形資本※
A 財務資本
（株式や借入）
B 製造資本
（設備など）etc.

無形資本※
C 人的資本
（スキルや知識）
D 知的資本
（著作権など）etc.

海外ではすでに投資の対象が、有形資本から形のない資本＝無形資本へと移り変わりつつあります。

02 人的資源の最適化を目指すHRM

組織目標の達成が
第一のゴール

ステップ 1 ▶ 人材育成とは異なる

人材育成

人材を財産とみなし、人格も向上させようという日本的な考え方

HRMは従来の人材育成とは似て非なるものなんだ

HRM

目標に向けて必要な人材を確保するという考え方

ＨＲＭ※はHuman Resources Managementの略語で、日本語では「人的資源管理」です。

ステップ 2 ▶ かつては人材育成が正しかった

転職が一般的でない時代は中途採用が難しかったので、育成や再教育に意味がありました。

製造部門は人員がいっぱいいるようですが

何人か営業に回せばいいじゃん

昔は定年まで勤めるのが当たり前だったんだ

ステップ 3 ▶ 米国型HRMへ

転職の一般化

一身上の都合により辞めさせていただきます

エーッ

必要な人材の変化

新事業メンバー

他社

必要な人材は外部から採用しよう

転職の一般化や必要な人材の変化により、米国型HRMを採用する企業が増えています。

03 人間の多様性を重視した ダイバーシティ

どんな人でも
活躍できる場を
提供する

ステップ 1 ▶ ダイバーシティ※の定義

一言でいうと「多様性」
のことだよ

さまざまな違いを持った人
たちを平等に活用する、ダイ
バーシティ経営への取り組
みが内外で進んでいます。

ダイバーシティとは？

●**表層的ダイバーシティ**
性別・年齢・人種・国籍・障がいの
有無など。他者から見えやすく、自
分の意思では変更が困難な属性

●**深層的ダイバーシティ**
性格や考え方・職務経験・コミュニ
ケーション能力など。目に見えない
内面的な部分の属性

ステップ 2 ▶ **機会の平等は大前提に、待遇の平等を目指す**

多様な人材に就業機会を提供しています

待遇の平等を忘れちゃいけない

スタート時点で不平等による能力差が生じている場合でも、待遇に差が生じないようにするのが目的です。

ステップ 3 ▶ **多様性が活力を生む**

わが社の採用条件はこのとおり。効率を上げるには仕方がない

男性

大卒

日本国籍

短期的効率だけ見てちゃダメ！社会的責任を果たそう

ダイバーシティを重視しない会社は、投資家や取引先・従業員から「選ばれない」時代になっています。

職務内容を滞りなく
遂行できる
人材を採用

ステップ **1** ▶ 会社は職務内容を具体的に特定する

海外との取引が多いので外国語と営業のスキルは必須だよ

営業経験10年、英中2カ国語話せます

勤務地や勤務時間なども採用前に合意しておくんだ

職務内容＝ジョブをできるだけ特定し、その職務にふさわしい人材を採用するのがジョブ型雇用です。

ステップ 2 ▶ 従来の日本企業はゼネラリスト※型

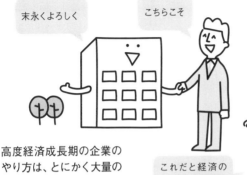

末永くよろしく

こちらこそ

メンバーシップ型雇用

終身雇用を前提とした新卒一括採用により、ゼネラリストを育てる旧来の採用方法

高度経済成長期の企業のやり方は、とにかく大量の人材を長期にわたって確保することでした。

これだと経済のグローバル化に対応できない

ステップ 3 ▶ その職務（ジョブ）が不要になったとき

製造部門は閉じて外注に出すことになったんだ

心機一転新しい部署でがんばります！

メンバーシップ型雇用※の場合

ジョブ型雇用※の場合

残念だが海外からの撤退が決まった……

では私もお役ごめんですね

ジョブ型雇用の場合は、職務自体がなくなったり、スキル不足がわかったときなど、配置転換ではなく離職となるリスクがあります。

05 企業価値(EV)について知る

2 min.

企業価値とは
企業の
「稼ぐ能力」のこと

ステップ 1 ▶ 買収時の資金は企業価値で決まる

EV※ = Enterprise Value

‖

企業価値

企業を買収するときに
必要となる資金の実質
額のことで、将来キャッ
シュフローの現在価値
を指す。

将来キャッシュフロー※

3〜5年先までに企業が
生み出すであろうキャッ
シュの合計値。

負債 ━━ 株主価値 ══

経営サイドが常
に念頭に置いて
いるのはこっち

株主やマーケット
が見ている企業
の価値はこっち

人によって定義が違うので注意が必要です。

ステップ 2 ▶ 上場会社なら株式時価総額※

買収する側の会社も、同じように買われる会社の企業価値を計算しています。これをデューデリジェンスと呼んでいます。

ステップ 3 ▶ 買収費用は企業価値より大きい

企業価値に上乗せ分（株主を売る気にするために必要です）が加味されて買収価格が決まります。

自社でも他社でも働ける能力 「エンプロイアビリティ」が求められる

エンプロイ
アビリティは雇用に
値する能力を指す

ステップ 1 ▶ 2種類の職務能力

職務能力を大別
するとこの2つに
なります

固有の能力	普遍的な能力
その会社でのみ通用する能力。	普遍的にどこででも通用する能力。

エンプロイアビリティ※

エンプロイメント（雇用）＋アビリティ（能力）。「雇用されるに足る能力」を意味する造語。

かつての終身雇用制のもとでは、キャリアを積みながら2つの能力を同時に身につけることができました。

ステップ 2 ▶ **必要な職務能力は変わる**

減給かレイオフを受け入れてもらえないかな

近ごろ会社に貢献できてませんもんね

技術革新
↓
能力の陳腐化

技術革新により能力が陳腐化し、必要な能力が変わると、それに応えられない社員は立場が危うくなります。

ステップ 3 ▶ **自分で能力を選び身につける**

待遇は保証するので、これからもうちにとどまってほしい

会社が雇用継続を望む能力

ぜひわが社に力を貸していただきたい

喜んで!

他社からも声がかかる普遍的能力

どのようなエンプロイアビリティを身につけるかは、当人の主体的な選択に任される時代になりました。

メンター※は
才能ある若手を
育成するためのもの

ステップ1 ▶ 業績主義は組織内の協調性を低下させる

業績主義にもメリットとデメリットがあるんですよね?

業績主義が浸透すると

競争意識	↑
協調意識	↓

簡単にいうとこうなります

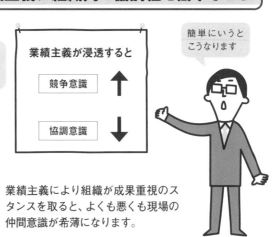

業績主義により組織が成果重視のスタンスを取ると、よくも悪くも現場の仲間意識が希薄になります。

ステップ 2 ▶ 組織の育成機能が低下する

昔
部下の育成指導も上司の務めでした。

今
上司にとって部下もまた成果を競うライバル。

あいつには負けられん

上司と部下、先輩と後輩の関係性が変わった結果、組織における育成機能が低下してしまいました。

ステップ 3 ▶ メンターは会社から任命される

彼のメンターになってくれ

よろしくお願いします！

イエッサー

アメリカ企業におけるメンター
直属の上司ではなく別ラインの幹部が、慣行的に若手の指導役となった。

日本におけるメンター
日本におけるメンターはある種の人事制度。中堅社員が会社によって任命される。

日本のメンターは育成自体が仕事のため、育成対象の部下との間に競争が生じないのが利点です。

メンターとは？
若手の育成を任される経験と地位のある人。

コンピテンシーは
成果を出すまでの
行動特性を指す

ステップ1 ▶ コンピテンシーは職員の採用基準だった

仕事に取り組む姿勢が成果に影響していたんですね

知能　　経歴

性格　　スキル

それをモデル化して職員採用の基準としました

仕事に対する姿勢

コンピテンシー※
高い業績を上げている人に見られる行動特性のこと

コンピテンシーは、モデル化することで他者に求めることもできます。もちろん模倣も可能です。

ステップ 2 ▶ コンピテンシー＝発揮能力ではない

日本では「発揮能力」と訳すことが多いですよね

コンピテンシー

‖ ⊗

発揮能力

「成果に至る過程で示される行動」のほうがしっくりくるかな

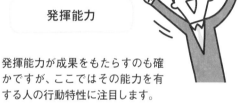

発揮能力が成果をもたらすのも確かですが、ここではその能力を有する人の行動特性に注目します。

ステップ 3 ▶ 行動特性は多様

共通
チームプレイ

営業
プレゼン力

管理職
公平性

経理
慎重さ

職務・職業ごとにコンピテンシーは異なります。モデル化するときはそれを正しく見抜くことが大切です。

09 福利厚生の幅が広がる カフェテリアプラン

福利厚生を
自分で選択する

ステップ 1 ▶ 利用上限ポイントがある

年間付与ポイント
＝
利用上限

60 ポイント／年
（1 ポイント＝
1,000 円）
など

この範囲内で好きな福利厚生メニューを選択できる制度なんだ

カフェテリアプラン※は福利厚生メニューそれぞれにポイントが設定され、選択すると付与されたポイントが消費される仕組みです。

ステップ 2 ▶ 人によって選択したい福利厚生が異なる

昔は社宅制度や住宅取得支援がメインだったな

自分はレジャーや趣味の補助もしてほしいかな

私は育児費用の補助もほしい

いまはニーズも多様で、全従業員に共通の福利厚生というのは現実的ではなくなってしまいました。

ステップ 3 ▶ 福利厚生のアウトソーシング※が必要

企業が多様な福利厚生を提供することは難しいため、現在ではアウトソーシングが主流になりつつあります。

汎用タイプ

住宅支援
レジャー
ボランティア
健康維持
その他

うちはいろいろ取りそろえておりますよ

目移りしちゃうな

育児・介護関係でしたら当社にお任せください

専門特化タイプ

育児・介護

アウトソーサーには幅広いサービスを提供する汎用タイプと、専門特化タイプがあります。

10 報酬が株式になる ストック・オプション

報酬で受け取った
株が値上がりすれば
利益になる

ステップ1 ▶ 報酬を株価に連動させる

うちのCEO、
いつも株価を
気にしてますね

それが報酬に
直結するんだから
しかたないよ

株価を上げるのもCEOの重要な仕事。したがってその
報酬を株価に連動させるのは理に適っています。

ステップ 2 ▶ 将来の報酬を対価に人材を集める

ベンチャービジネスの場合

どうか未来に
賭けていただ
けませんか

キャッシュがわりに
ストック・オプショ
ン*ねえ……

事業が成功して
株価が上がったと
きウィンウィンと
なります

ストック・オプションは、急成長の可能性のあるベン
チャーには格好の報酬システムといえます。

ステップ 3 ▶ 付与された役員・社員の行動が短期志向になる

メリット

株価が上昇すれば多額
の報酬が得られる

やっぱり不確定
な将来より今だ
よね

短期間で株価を
上げる戦略を考
えますか

こうなると
本末転倒です

デメリット

株価が上昇しないかぎ
り十分な報酬は得られ
ない

どうなるかわからない将来を担保にする性質上、短期的
な経営方針・戦略を考えがちな傾向があります。

1870年代の日本は
会社設立ブームが到来した

1870年代から、事業ジャンルは異なるものの、日本全国であらゆる会社が設立されるようになりました。特に1880年代には現在でもよく耳にする会社やその前身が多く設立されています。

1882	東羊紡
1883	日本鉄道、住江織物
1884	南海電気鉄道
1886	伊予鉄道、日光鉄道　他鉄道6社
1887	有限責任神栄会社、東京綿商社、関西鉄道　他鉄道11社
1888	倉敷紡績、甲府紡積　他紡積5社　九州鉄道
1889	北海道炭礦鉄道、セーレン、尼崎紡績、摂津紡績　他紡績14社

※1870年代は銀行がブームとなり、この10年で153行もの銀行が設立された。

MEMO

たくさんの会社が設立された時代ではありましたが、会社の設立・運営に今となっては欠かせない商法が施行されたのは1893年とブームのあと。会社設立ブームの渦中で設立された会社は、フタを開いてみると法的にはかなりあやふやなところもありました。

企業とお金の基本

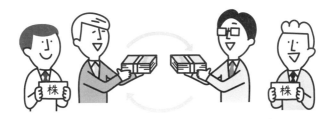

お金がなければ経営は成り立ちません。ここで
は企業を取り巻くお金について、基本的なこと
を解説していきます。

01 財務諸表（BS、PL、CF）で企業を見る

事業と資産の状況を
金銭面で表現する

ステップ1 ▶ 財務諸表って何のためにある？

うちの経営
状況です

追加で株買って
みよう

安心して取り引き
できるな

いい調子だ

財務諸表には、会社と利害関係がある人に対して自社の経営状況を伝える目的があります。

ステップ 2 ▶ BS（貸借対照表）と PL（損益計算書）

財産の状況が
わかります

貸借対照表

どのように
お金を調達し、
活用したのか

収支の状況が
わかります

損益計算書

どのように
利益が生み
出されたのか

BSでは固定資産等を含めた企業の財産、PLで
は損益（黒字か赤字か）がわかります。

ステップ 3 ▶ CF（キャッシュフロー）

お金の流れが
わかります

キャッシュフロー計算書

お金がいくら入り、使い、
残ったのか

CFはお金が企業のなかでどのように動い
ているのかを、営業、投資、財務の3つの観
点から読み解けます。

02 財務会計と管理会計の違いを理解する

ルールが異なる
2つの会計方法

ステップ 1 ▶ 財務会計※は国内ほぼ統一

決算報告書(財務諸表)

国や証券取引所の
会計基準に
従ってつくられる

前ページの「財務
諸表」のことです

財務会計(財務諸表)とは、企業が
法令等に定められた基準に従っ
て作成する義務のある書類です。

ステップ 2 ▶ 管理会計※は会社が独自に考案

企業ごとにいろいろな基準で作られます

管理部のコストは事業部AとBで半々で負担することにしよう

〈例〉

コスト

コスト

事業部A

事業部B

管理会計は、社内・グループ内の業績を把握する目的で、企業が独自に作る基準です。

そんなことしたら赤字になっちゃう

B事業部長

ステップ 3 ▶ 外部に見せるのは財務会計

A社決算報告書

B社決算報告書

決算報告書です

他社としっかり比較できるね

社外に情報提供する機能があるのは財務会計です。法令に沿って書かれるため、他社との比較も行えます。

売上高が
損益分岐点を超えると
利益が出る

ステップ 1 ▶ 損益分岐点って何？

損も得もしない、ちょうど
イーブンの地点です

損益分岐点とは、売上高がちょうどコストを回収する点のこと。つまり「利益ゼロ」を意味します。

ステップ 2 ▶ 売上がゼロだと固定費分の赤字

人件費や減価償却費※など、常に一定額がかかるのが固定費です。売上がゼロだとこの額が赤字になります。

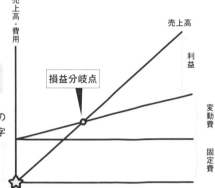

変動費はモノやサービスを生み出す過程でだんだん増えます

損益分岐点

固定費分の赤字

売上高・費用

売上高

利益

変動費

固定費

ステップ 3 ▶ 利益が少ないなら損益分岐点を抑制する

できるだけコストを抑えるってことです

固定費を
変動費化する

・人件費
（正社員から派遣社員への人員調整）

・製造にかかるコスト
（一部製造ラインを他社へ委託）

→ 損益分岐点が
抑えられる！

売上低下のリスクを回避するには、固定費をできるだけ抑える（損益分岐点を抑制する）ことが有効です。

04 設備費用を按分負担できる減価償却

設備の購入費用は
購入した年度の経費に
全額計上される
わけではない

ステップ1 ▶ 耐用期間中に一定額が経費に計上される

使える年数で費用を
一定額負担します

100万円	100万円	100万円	100万円
1年	2年	3年	17年

エレベーターを導入しました！
耐用年数は17年です

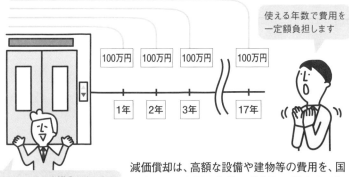

減価償却は、高額な設備や建物等の費用を、国で定められた耐用年数で分割して計上する処理のことです。(定率法と定額法があります)

ステップ2 ▶ 現金は増加する

書面上は毎年100万円
支払うことになっている
けれど……

減価
償却費
100万円

実際には減って
いない！

手元に
現金が残る

処理上、毎年一定額の支払いが発生
しますが実際の出費はありません。
そのため手元の現金が増えます。

ステップ3 ▶ 未来の売り上げを予測することが大切

中長期的売り上げ予測

このままいくと
売り上げは……

将来の売り上げ
を見越して設備
を買わないと！

ちゃんと償却
の計画を立て
ましょう

設備投資を行うためには中長期的な
利益を予測し、しっかりと計画を立て
ることが重要なポイントです。

05 原価計算で製品の利益を把握する

原価がわかれば
利益がわかる

ステップ 1 ▶ 直接製造原価

自動車を
作っています

製品をつくるときの
部品代や作業員の
給料のことです

原材料費　従業員の給料

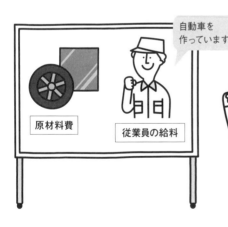

直接製造原価とは、その商品を製造する際にかかった費用のことです。

ステップ 2 ▶ 間接原価

製品1個あたりにどれくらい
かかったかは不明です

現場には
いません

減価償却費

生産管理を
行う人の人件費

商品の製造にかかった費用
のなかで、どの工程でかかっ
たのか区分するのが難しい
費用を間接原価といいます。

ステップ 3 ▶ 総原価を上回る価格で販売する

原価がしっかり
把握できれば収
益もわかる!

利益分

間接原価

直接製造原価

原価が抑えられ
れば販売価格も
抑えられます

利益を出すため
には、総原価を
超えた価格で商
品を販売する必
要があります。

企業評価の
基本指標です

▶ **企業の資本効率を測るROE**※

$$\frac{当期純利益}{自己資本} \times 100 = 自己資本利益率※（ROE）$$

企業がお金をどれくらい有効活用できているかがわかります

株主から得た資本をどれくらい利益につなげたかを表します。約10%が目安で、20%を超えると優良です。

ステップ 2 ▶ 株価が割安か割高かを見るPER[※]

$$\frac{株価}{1株あたり純利益} = 株価収益率（PER）$$

「利益」に対して割安かどうかがポイントです

利益と株価を比較するのがPER。株価が割安かを測る指標となり、数値が15倍ほどであれば適正だといえます。

ステップ 3 ▶ 企業の存在意義を問うPBR[※]

「純資産[※]」に対して株価が割安かどうかがポイントです

$$\frac{株価}{1株あたり純資産} = 株価純資産倍率（PBR）$$

資産と株価を比較するのがPBR。1倍より小さいと、株主から集めたお金を活用できていないことを意味します。

07 配当と自社株買いの関係

会社が自社株を
市場から買い戻す

ステップ1 ▶ 配当って何?

投資

株主

定期的に配当を
もらえます

配当

配当とは、企業が利益の一部を
株主に分配すること。金額は株
の保有数に比例します。

ステップ 2 ▶ 自社株買いって何?

会社が自社株をたくさん買っています

市場に出回る株券が減る!

自社株買いをすると、市場に出回る株数が減ることで財務指標がよくなり、株価が上がりやすくなります。

ステップ 3 ▶ 買った自社株は報酬とM&Aに使う

株価が上がったら現金でお給料をもらうよりトクした!

ストック・オプション

合併の準備資金にする!

M&A

自社で株を持つことで社員へストック・オプションの権利を与えたり、M&Aの準備金にしたりできます。

資本政策は経営で
最も重要な
意思決定事項の1つ

ステップ 1 ▶ 資本政策の3つの観点

いくら調達
するか

どうやって
調達するか

誰から調達
するか

資本政策においては、資本の量、調達手段、資本の提供者の3つが重要なポイントです。

▶ 株式の上場も資本政策

株式上場も資本政策の1つ。上場すると発行会社は株主を選べなくなり、買収リスクが生じます。

▶ 安定株主を求める

企業を安定的に存続させるためにも、長期で株を保有してくれる安定した株主が必要になります。

持ち合いだと
株主・株価が
安定する

ステップ1 ▶ ローコストで相手の株式を保有できる

どうぞ〜

ありがとう
ございます〜

資金ゼロでも
できるよ

株式持合い※だと資金が必要ないのが特徴。仮に一方が購入
資金を借り入れても、自社株の売却資金で返済できます。

ステップ 2 ▶ **投資収益を目的としない**

仲良くやり
ましょう

よろしくお願い
します

持ち合いは買収防衛と株価を安定さ
せることが目的です。

ステップ 3 ▶ **株主利益は「薄め」られる**

決議を取ります

はい!
賛成です!

持ち合い企業の声の大きさ
にはかなわない……

企業同士で多くの株式を持ち合うと、ほ
かの株主の権利が薄められることにつな
がるという問題があります。

解体を免れた財閥が
企業集団になった

三井、住友、三菱など大企業の名前は聞いたことがあるかと思います。この3社はかつての日本で大きな影響力を持っていた財閥と呼ばれる組織でした。第二次世界大戦で敗戦したあと、GHQにより財閥は本社解体されましたが、この3社を含めて新たにグループを形成した「企業集団」が今でも存在します。

はじまりは社長会

住友	白水会(1951)
三菱	金曜会(1954)
三井	二木会(1961)

目的は親睦

①グループ共通の社会貢献案件の審議

②社名に三菱を冠称することになった会社の紹介

③政治、経済、文化、科学、技術、スポーツなど各界で活躍してる方の講演

※三菱の金曜会の内容。三菱グループサイトより作成

グループの社長・
会長が集まった

会社の社長や会長などは、自分が一番トップであるため、相談をする相手がいません。そのためグループに属す企業の社長・会長が月1回のペースで集まり親睦を深めていたのです。こうしたグループが現代の企業集団になりました。

MEMO

財閥がもとになった企業集団は、メンバー企業が1業種につき原則1社という特徴があります。このため、こうした企業集団にはグループ内で競争をしないという特徴があります。

企業と情報の基本

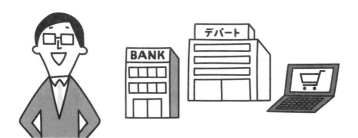

昨今では、企業にまつわる情報というのはほとんど
がデジタル化しています。時代の流れで変化した企
業概念を本章で学んでいきます。

インターネット上の
アウトソーシング

ステップ 1 ▶ メンテナンスや更新の手間を省く

インターネット経由で外部
のハードウェアやソフトウェ
アを利用するサービスです

ハードやソフトの
購入費用もいらない!

定期的なメンテナンス
作業や更新もお任せ

クラウドサービス提供事業者がビジネスに
必要な機能を用意し、メンテナンスや不具
合対応などを行ってくれます。

ステップ 2 ▶ ホスト・コンピュータが不要

クラウド経由で、大容量の
サーバーやデータベースな
ども利用が可能です

クラウドコンピューティングの種類

HaaS（サーバやストレージなどのハードウェア）
IaaS（CPUやメモリなどのITインフラ）
PaaS（ソフトウェアを構築および稼働するプラットフォーム）
SaaS（アプリケーション機能のみ）

クラウドコンピューティングを利用する際には、目的
に合う適切なサービスを選択する必要があります。

ステップ 3 ▶ パブリック型とプライベート型

主なクラウドコン
ピューティングは、
この2つ！

パブリック型
業界や業種を問わず、
インターネット経由で
誰でも利用できるオー
プンな形態。
例：Google、Yahoo!、
Amazon など

プライベート型
企業や個人が専用
の環境を構築する形
態。用途に合わせて
カスタマイズできる
のが特徴。

最近では「ハイブリッドクラウド」
や「マルチクラウド」といった新し
い形態も登場しています。

材料調達から
販売までを
一括で管理する

ステップ1 ▶ 収益の向上に必要な2つの要素

収益の向上には、2つの
要素が大きく寄与します

①売り上げのチャンスを逃さない
②売れ残りの在庫を削減する

SCM[※]は、原材料の調達から販売までを総合的に見直し、収益性を高めるマネジメント手法です。

▶ **SCMを成功させる2つの条件**

SCMを成功させるためには、2つの必須条件があります

①市場の変化や顧客の需要を迅速に把握し、売れ筋の商品を提供すること
②発注から納品までの期間を短縮し、在庫数を最適化すること

「売り上げのチャンスを逃さない」「売れ残りの在庫を削減する」という相容れない要素を達成するには、この2つの条件が欠かせません。

▶ **条件を満たす3つの要素**

ほかには何が必要？

条件が満たされるために必要な要素が3つあります

①SCMチェーンに参加する企業は、保有情報をオープンにすること
②ITによるインフラ整備を行うこと
③チェーン化させたプロセスの中にボトルネックがないこと

この3つの要素を満たすことで、スループットを大きくできます。スループットとは、SCMにおいて、一定期間当たりの物流量や売り上げといったアウトプットのことです。

03 顧客情報を収集するCRM

顧客の購入履歴を
もとに提供サービス
を決定

▶ 顧客と接する機会の多い業界で発展

CRM※は日本語では
「顧客関係管理」の
ことを指します

デパート

BANK

銀行　　　百貨店　　　通販

顧客の情報を収集・蓄積

以前から顧客と接し、個々の属性や取引履歴などを蓄積できる業種・業態で活用されてきました。

ステップ 2 ▶ ヘビーユーザーを見つける

CRM のポイントは、ヘビーユーザーを見つけること！

顧客分析

一見ユーザー	1回のみ購入
ライトユーザー	購入回数が年2〜3回
ヘビーユーザー	年間で購入回数や金額が一番多い

CRMでは自社の収益を支えてくれるヘビーユーザーを見つけ、満足度を高める商品やサービスを提供して固定客化に繋げます。

ステップ 3 ▶ 自己選択メカニズム

ヘビーユーザーを獲得する手法として、自己選択メカニズムがあります

○○百貨店の割引特典はお得だなぁ

マイレージが貯まったから航空券に換えよう

百貨店の
ハウスカード

航空会社の
マイレージ・サービス

メリットのあるサービスを提供すると、ヘビーユーザーはそれを自主的に選択して集まります。

個人が持っている
知識を集団で
レベルアップ

ナレッジマネジメントの
重要な目的の1つに「創
発」があります

「創発」は自由参加型

え! 教えて
ください!

これのコツ
知ってる?

就業後の飲み会や何気ない雑談も
創発の場に含まれる

みんなのいろいろな知識が蓄積・交流されると、突然、
今までにはない新たな知識が生まれることがあります。これが「創発」です。

ステップ 2 ▶ 管理型のナレッジマネジメント

「管理型」はメンバーや役割分担が決まっている

もう1つの目的が、業務の効率化です

業務のマニュアルを作りました！

ありがとう

企業や社員が持っている知識や情報を蓄積・管理することで、ある程度の経験が必要な業務であっても効率よく進められるようになります。

ステップ 3 ▶ AIは管理型ナレッジマネジメントでできている

情報収集の自動化や、高度な検索など自動分類が得意だよ

簡単な操作で情報共有できて便利！

実は、AIも管理型ナレッジマネジメントでできています

本来であれば直接共有していた知識や情報も、AIを活用すれば場所や時間を選ばずスピーディーです。

モノが
インターネットを
経由して通信をする

ステップ1 ▶ IoT[※]って何？

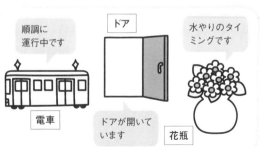

IoT は「Internet of Things」の略です

順調に運行中です

電車

ドア

ドアが開いています

水やりのタイミングです

花瓶

IoTの活用により「モノを操作する」「モノの状態を知る」「モノの動きを検知する」「モノ同士で通信する」の4つが可能となります。

ステップ 2 ▶ IoT以前のインターネット

IoT 以前のインターネットってどんなものだったの？

コンピュータ同士を接続するものがインターネットでした

接続

IT技術が進歩したことにより現在ではさまざまなモノがインターネットに接続できるようになりましたが、以前はコンピュータ同士に限定されていました。

ステップ 3 ▶ IoTの活用例

IoT は、社会の中で幅広く活用されています

医療	リアルタイムの患者モニタリング
交通	電車の運行状況や高速道路の渋滞情報
物流	在庫管理の自動化やピッキングの効率化
製造	機器の故障やシステム異常の検知

IoTの導入により、労働環境や業務効率の改善が期待できます。

いろんな分野で活用されているんだね！

デジタルの技術で
社会を変える

ステップ 1 ▶ どうしてDX※は話題になっている?

DXとは「デジタル化
で社会や生活のスタ
イルを変えること」!

DXが話題になったきっかけ

新型コロナ
ウイルス
感染症の蔓延

大規模な
自然災害

ディスラプター
(破壊的企業)
の登場

今まで以上に世の中の不確実性が高まった

世界の環境が一変し、世の中の不確実性が高まったことが
きっかけで、DXを導入して企業そのものを変革し、競争上の
優位性を確立しようとするようになりました。

ステップ 2 ▶ DX と IT 化では目的が異なる

会計ソフトを導入して
経理業務が早くなった！

リモートワークを
推進しよう

DX と IT 化で異なる
のは、それぞれの目
的です

IT化

IT 活用による社内業務
の効率化

DX

デジタル技術導入によ
る新たな価値の創出

DXは目的を達成するための戦略であり、IT化はそのため
の具体的な戦術ともいえます。

ステップ 3 ▶ DX 促進のための企業の課題

日本の企業のDX
促進はあまり進
んでいないのが
現状です

世界デジタル競争
力ランキングによ
ると、日本は 63
カ国の中で 最下
位なんだって

DX促進を妨げる企業の課題

・人材の不足
・経営戦略やビジョンの不足
・戦略的な IT 投資の資金不足

DXで何を実現したいのか、そのための課題を明確にし、
企業が一丸となって行動に移すことが重要です。

Column ⑥

バブル崩壊を経て
企業は再編された

バブル崩壊後、景気が回復する2002年ごろまで日本の企業は厳しい状況に陥っていました。さまざまな企業が立ち行かなくなり、銀行の融資も行き届かない状態が続き、事業会社は倒産やリストラが相次ぎ、多くの銀行も破綻の危機に見舞われました。

公的資金

銀行

銀行に公的資金を注入することで企業への貸出が円滑化することを狙った

破綻寸前の
銀行

統合

銀行

公的資金でも自己資本が充実せず、破綻が懸念される金融機関が別の金融機関に統合された

メガバンク
誕生

みずほホールディングス
……2000年設立
三井住友銀行
……2001年設立
三菱東京UFJ銀行
……2006年設立

BCP……緊急事態時に、企業の損害を最小限に抑えるための計画書（Business Continuity Plan）（P52）

CEO……経営方針の決定や事業戦略の策定の責任を持つ最高責任者（Chief Executive Officer）（P18）

CRM……企業と顧客の関係性を管理するマネジメント手法（Customer Relationship Management）（P114）

CS戦略……企業が提供した商品やサービスに対し、顧客の満足度を数値化し事業運営に生かす戦略（Customer Satisfaction）（P42）

DX……デジタル技術を用いて、社会や人々の生活をよりよいものとすること（Digital Transformation）（P120）

ESG……環境、社会、ガバナンスの3つの観点から経営を考えること（P48）

EV……企業価値を指す（P76）

HRM……人材を経営資源としたときに、人材を有効活用するための仕組みをつくり運用する（P70）

IR……企業が投資家などにむけて自社の経営状況や今後の見通しを示し売り込む活動（Investor Relations）（P30）

IT……コンピューターやネットワークを利用した技術の総称（Information Technology）（P118、120）

IoT……身の周りにあるモノとインターネットがつながる仕組み（P118）

M&A……企業の合併及び買収のこと（Mergers and Acquisitions）（P46、62）

NGO……政府組織と民間組織を区別するために作られた名称。日本語では「非政府組織」と訳されている（Non-Governmental Organization）（P28）

NPO……営利のためではない組織の略称。日本語では「非営利組織」と訳される（Non Profit Organization）（P28）

PBR……株価が一株あたり純資産の何倍になっているかを示す（Price Bookvalue Ratio）（P100）

PER……株価が一株あたり純利益の何倍になっているかを示す（Price Earnings Ratio）（P100）

PMI……M&A後の経営、業務、意識を統合するプロセス（Post Merger Integration）（P46）

- ROE……自己資本利益率のこと。自己資本(株主の出資額+これまでに利益から蓄積した剰余)を用いて企業が利益をあげる効率を示す(Return On Equity)(P100)

- SDGs……2030年までに持続的でよりよい世界を目指すための目標(Sustainable Development Goals)(P50)

あ行

- アウトソーシング……社内の一部業務を外部に委託すること(P84)

- イノベーション……革新的な技術や発想をもとに新たな価値を生み出して社会に変化をもたらすこと(P44)

- エンプロイアビリティ……労働者が企業に雇われる力を意味し、採用や人材育成の際に重要となってくる(P78)

か行

- カフェテリアプラン……社員に一定数のポイントを支給し、ポイントの範囲内で福利厚生を選ぶ仕組み(P84)

- 株式時価総額……株価×発行済株式数で計算される(P76)

- 株式持ち合い……取引先や取引銀行との間で相互に株式を持つ行為(P106)

- 借入金……借金のこと。企業が他者から借りたお金(P60)

- 監査役……株式会社において、取締役の職務状況を監視する役職(P18)

- 管理会計……企業内部における統制や意思決定を支援するための会社情報を扱う会計領域(P92)

- キャッシュフロー……会社におけるお金の流れのこと(P76、90)

- グロース市場……東京証券取引所が2022年4月に導入したベンチャー企業などが参加する市場(P14)

- 減価償却……企業が使う設備などが消耗した分を毎期一定の計算方式によって費用として計上し、使用年度に配分すること(P94、96、98)

- コーポレート・ガバナンス……企業経営を監視する仕組み。日本語で企業統治(P26)

- コンピテンシー……高い成果を生み出すための行動特性(P82)

- パーパス経営……社会貢献を軸に自社の存在意義を明確にした経営で事業を行うこと（P22）
- 非正規雇用……アルバイトやパート、契約社員などのような雇用形態（P68）
- プライム市場……東京証券取引所が2022年4月に導入した東証の上位市場（P14）
- ベンチャー……冒険的な事業を行う新興企業のこと（P14、86）

無形資本……特殊な技能や著作権、社員が持つ能力などの形が存在しない資本（P68）

無限責任……事業に伴う損失や賠償などの責任をすべて負うこと（P12）

メンター……日本語で「指導者」などと訳される。自分が手本となり若手をサポートする（P80）

メンバーシップ型雇用……職務内容や勤務地などを限定することなく、正社員を採用する雇用形態（P74）

有形資本……お金や土地、建物など形がある資本（P68）

有限責任……事業に伴う損失や賠償などの責任が、出資額の範囲でおさまる（P12）

連結決算……親会社、子会社、関連会社の財務内容を結合した決算のこと（P16）

参考文献

経営のことをもっと詳しく知りたい人は、是非ともお読みください！

『財閥のマネジメント史　誕生からバブル崩壊、令和まで』
（武藤泰明　著／日本経済新聞出版）

『マネジメントの文明史　ピラミッド建設からGAFAまで』
（武藤泰明　著／日本経済新聞出版）

BOOK STAFF

編集	細谷健次朗、工藤羽華（株式会社G.B.）
編集協力	三ツ森陽和、吉川はるか
執筆協力	原野成子、野村郁朋、山本洋子
イラスト	熊アート
デザイン	森田千秋（Q.design）

監修　武藤泰明（むとう・やすあき）

1955年広島県生まれ。東京大学大学院（修士）修了後三菱総合研究所を経て、現在は早稲田大学教授を務める。日経ビジネススクールでは、会社役員・経営幹部向けのシリーズの代表を務めている。専門はマネジメント。公職は（特非）日本ファイナンシャル・プランナーズ協会常務理事、（公財）笹川スポーツ財団理事、ほか。

主な著書に『日経文庫 ビジュアル経営の基本』『すぐわかる持ち株会社のすべて』『マネジメントの文明史』（以上、日本経済新聞出版）、『ファンド資本主義とは何か』『大相撲のマネジメント』（以上、東洋経済新報社）、『未来予測の技法』（PHP研究所）などがある。

▶▶ 【倍速講義】
会社と経営の基本

2023年10月18日　1版1刷

監修　武藤泰明

©Yasuaki Muto, 2023

発行者　　國分正哉
発行　　　株式会社日経BP
　　　　　日本経済新聞出版
発売　　　株式会社日経BPマーケティング
　　　　　〒105-8308
　　　　　東京都港区虎ノ門4-3-12
印刷・製本　シナノ印刷

ISBN 978-4-296-11902-8